PETITE BEAUTÉ

Texte traduit de l'anglais par Élisabeth Duval

ISBN 978-2-211-20133-9

Titre de l'ouvrage original : LITTLE BEAUTY
Éditeur original : Walker Books Ltd. (87 Vauxhall Walk, London SE11 5HJ)
Loi numéro 49 956 du 16 juillet 1949 sur les publications
destinées à la jeunesse : septembre 2008
Dépôt légal : décembre 2011
Imprimé en France par Clerc SAS à Saint-Amand-Montrond

PETITE BEAUTÉ

Anthony Browne

kaléidoscope
lutin poche de l'école des loisirs
11, rue de Sèvres, Paris 6e

Il était une fois un gorille pas comme les autres

à qui l'on avait enseigné la langue des signes.

Quand il voulait quelque chose, il pouvait

le demander à ses gardiens

en signant avec ses mains.

Il ne manquait jamais de rien, apparemment.

Pourtant, il était **triste**.

Un jour, il signa à ses gardiens

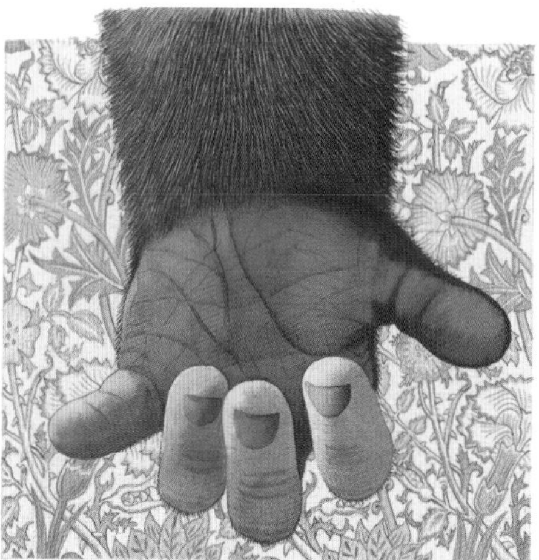

« Je... veux...

ami... »

Il n’y avait pas
d’autre gorille dans le zoo.
« Comment faire ? »
s’interrogèrent les gardiens.
Puis l’un d’eux eut une idée.

Ils lui donnèrent un ami tout petit.

Elle s'appelait Beauté.

« Ne la mange pas ! »

dit un gardien.

Mais

non,

le

gorille

adorait

Beauté.

Il lui offrait du lait,

et du miel.

Ils étaient heureux.

Ils faisaient **tout** ensemble.

Ils vivaient

un bonheur paisible.

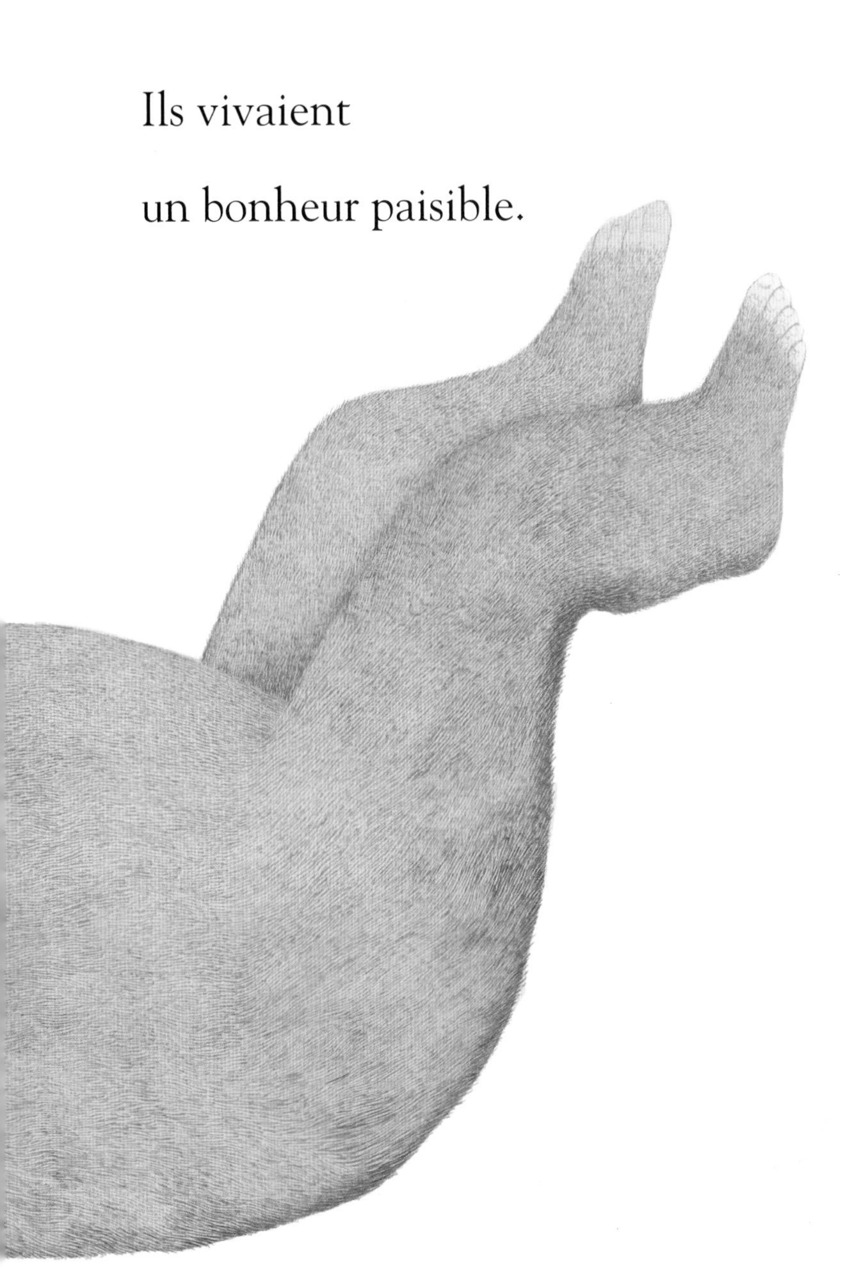

Mais un soir, ils regardèrent un film à la télévision.

Le gorille était de plus en plus bouleversé,

puis il se mit très

en colère !

Les gardiens accoururent immédiatement.

« Qui a cassé la télévision ? » demanda un gardien.

« Nous allons être obligés de vous séparer »,

ajouta un autre gardien.

Le gorille regarda Beauté…

Beauté regarda le gorille.

Et elle se mit à signer…

« C'est…

MOI !

J'ai cassé

la télévision ! »

Tout le monde éclata de rire.

Et tu sais ce qui arriva ?

Beauté et le gorille vécurent

heureux à tout jamais.